E.T.™
EL EXTRATERRESTRE
DESCUBRE
Las Plantas

Simon Smiley

KINGFISHER/UNIVERSAL
Kingfisher Publications Plc
New Penderel House 283-288 High Holborn London WC1V 7HZ
www.kingfisherpub.com

First published by Kingfisher Publications Plc in 2002
Copyright © Kingfisher Publications Plc 2002

Título original: Plants
Autor: Simon Smiley
Director de proyecto: Belinda Weber
Editor: Christine Hatt
Edición artística: Eljay Yildirim
Diseño: Andrew Nash
Subdirector: Nicky Studdart
Control de producción: Debbie Otter, Kelly Johnson

© Traducción y adaptación: José Miguel Parra Ortiz

© de la edición española, 2002
OBERON, Grupo ANAYA, S. A.
Juan Ignacio Luca de Tena, 15; 28027 Madrid,
tel. 91 393 88 00
ISBN: 84-667-1394-8
Impreso en Italia

Contenido

El mundo de las plantas

¡Las plantas son unas máquinas vivientes sorprendentes y verdes! Captan la luz solar y beben agua. Fabrican cosas que necesitamos, como comida, madera y el oxígeno que respiramos. E. T. ha aprendido que en la Tierra crecen en torno a unos 300.000 tipos diferentes de plantas.

Plantas con tronco

Los gigantes del mundo de las plantas son los árboles. Utilizamos sus fuertes troncos de madera para construir o como combustible. Los árboles más grandes del mundo son las secoyas como esta. Crecen en los EE.UU.

El blando y esponjoso musgo crece en todas partes excepto dentro del mar. Lo puedes encontrar, incluso, en lugares en donde hace demasiado frío o calor como para que otras plantas puedan sobrevivir. Algunos viven en los hielos del Polo Sur.

Bellas plantas

La mayor parte de las plantas, aunque no todas, tienen flores de brillantes colores y dulces perfumes. Algunas son tan pequeñas y poco llamativas que tienes que mirar muy bien para encontrarlas.

¡LLAMA A CASA PARA CONTARLO!

Las cicadáceas de Suráfrica y Australia son las plantas con semillas más antiguas del mundo.
Hace 200 millones de años, los dinosaurios merodeaban por exuberantes bosques de cicadáceas.

Los helechos crecen bien en lugares húmedos. Sus hojas, llamadas frondas, se van desenroscando a medida que crecen. Los helechos se encuentran entre las plantas más antiguas. Hace unos 300 millones de años había extensos bosques de helechos tan grandes como árboles.

¡SOBRECARGA DE INFORMACIÓN!

E.T. ha recogido tantos datos fascinantes que debe enviarlos a su planeta para que sean analizados.

Los árboles viven mucho más que el resto de las plantas. Algunos pinos erizo de California todavía están vivos ¡5.000 años después de haber germinado!

En los bosques tropicales crecen más plantas que en ningún otro sitio. En una zona del tamaño de una ciudad pequeña puede haber unos 750 tipos diferentes de árboles y otros 1.500 tipos de plantas.

Las plantas crecen casi en cualquier parte; pero no pueden sobrevivir en la oscuridad total, como por ejemplo en cuevas y océanos profundos.

¿Cómo crecen las plantas?

Las plantas son unas glotonas. Engullen aire, luz y agua para poder crecer con rapidez y producir más plantas. Una sustancia química verde que hay en las hojas, llamada clorofila, fabrica el alimento de las plantas a partir del aire, la luz y el agua.

Haciendo plantas

Las plantas tienen sistemas ingeniosos para reproducirse. Algunas de ellas crecen de pedazos rotos de plantas más grandes. Las plantas con flores crean semillas de las que nacerán otras plantas.

De cada una de las semillas de esta sandía puede crecer una planta nueva.

Si rompes una hoja de esta planta jade y luego la pones en un terreno muy húmedo, crecerá una planta nueva. Aquí están creciendo tres de ellas.

Mirando a las hojas

Las hojas están cubiertas de pequeños agujeritos. A través de esas "bocas" las plantas pueden respirar el aire. El agua puede salir por los agujeros, por eso cuando el suelo está seco las plantas los cierran.

Fábrica de comida verde

Las plantas necesitan agua, aire y luz para crecer. Ve leyendo en el sentido de las agujas del reloj para ver cómo consiguen las plantas esas tres cosas y qué hacen con ellas.

La «fábrica» de la planta también produce oxígeno. Sale de las hojas hacia el exterior.

La luz del sol proporciona energía a la sustancia química verde que hay en las hojas y que se llama clorofila.

La comida circula por toda la planta en forma de un líquido llamado savia.

Las hojas absorben del aire un gas llamado dióxido de carbono.

A partir de la energía del sol, el gas y el agua, la clorofila de las hojas fabrica el alimento de las plantas.

Las raíces chupan agua y minerales (sustancias químicas) del suelo.

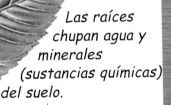

Plantas que florecen

Las flores huelen bien y sus colores alegran nuestras vidas; pero no lo hacen por nosotros (¡ni por E.T.!), sino para atraer a los insectos. Sin ellos pocas flores podrían producir las semillas de las que nacen las nuevas plantas en primavera.

ESTAMBRES CUBIERTOS DE POLEN

Intercambio de polen

Las plantas están hechas de células. Las flores tienen células masculinas y células femeninas. Un polvo llamado polen contiene las células masculinas. El polen se pega a los insectos que llegan y éstos lo llevan entonces a otras flores. Con el polen que reciben, las partes femeninas de las otras flores producen las semillas.

Los estambres de las plantas fabrican el polen. Los insectos no pueden evitar rozarse contra los estambres de este lirio y llevarse consigo el polvo de polen.

Atrayendo insectos

Las flores atraen insectos con sus colores y olor y recompensan a los que vienen con un poco de néctar, un jugo dulce. Para alcanzar el néctar, los insectos rozan al pasar las partes femeninas y masculinas de la planta. Al hacerlo diseminan el polen.

Una abeja disemina el polen en una flor de trébol.

¡ALERTA A LA TIERRA!

Las flores silvestres son bonitas, pero no debes arrancarlas, porque de algunas quedan muy pocas. Si lo haces, no podrán producir semillas para que crezcan más flores.

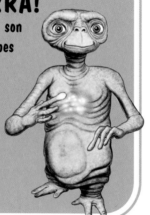

¡Una gran familia!

Hay alrededor de 250.000 tipos de plantas con flores, más que de ningún otro tipo. Los miembros más grandes de la familia de las plantas con flores son los árboles, como este cerezo.

¡SOBRECARGA DE INFORMACIÓN!

E.T. ha recogido tantos datos fascinantes que debe enviarlos a su planeta para que sean analizados.

Los granos de polen son diminutos. Tres mil de ellos caben fácilmente en la cabeza de un alfiler.

Respirar polen hace que algunas personas estornuden, les lloren los ojos y tengan la fiebre del heno.

Las abejas convierten el polen que recogen en miel. Para hacer la miel que cabe en una cucharilla de café tienen que volar como media 175 kilómetros.

Frutos y semillas

E. T. ha aprendido que los frutos son los autoestopistas del mundo de las plantas. Después de que los animales se coman los frutos, llevan las semillas en su interior lejos de donde las encontraron. Las semillas salen de los animales dentro de sus excrementos y de ellas crecen nuevas plantas.

NUEZ DEL BRASIL

Las nueces son frutos con una cáscara dura. Tienes que romperla para conseguir llegar hasta la única semilla que hay en su interior.

¿Cuántas semillas?

Algunos frutos, como las sandías, poseen muchas semillas pequeñas. Otros, como los melocotones, sólo tienen una grande.

¡LLAMA A CASA PARA CONTARLO!

¡Nunca te pongas debajo de un coco de mar! Es la planta con las semillas más grandes. Pueden llegar a pesar hasta 27 kilos; tanto como una televisión.

SEMILLA DE JUDÍA

RAÍZ

Planta una semilla en un vaso lleno de tierra y luego observa cómo germina y crece.

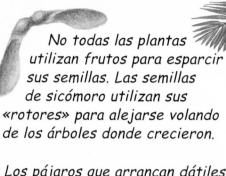

No todas las plantas utilizan frutos para esparcir sus semillas. Las semillas de sicómoro utilizan sus «rotores» para alejarse volando de los árboles donde crecieron.

Los pájaros que arrancan dátiles, como estos, pueden llevar las semillas de su interior a muchos kilómetros de distancia.

Todo lo que necesitas está en una semilla

Las semillas contienen todo lo necesario para que crezca una nueva planta, incluido el alimento. Cuando la planta tiene la humedad y el calor necesarios, germina. Una pequeña raíz crece hacia abajo, y el tallo lo hace hacia arriba.

MATA DE JUDÍAS

BROTE

Árboles y bosques

Los árboles son las plantas más grandes. Estos árboles gigantes dan cobijo y alimento a millones de criaturas. Los árboles son valiosos para las personas y para E. T. Con sus troncos hacemos edificios y papel. También respiramos el oxígeno que fabrican sus hojas.

Los árboles como los pinos tienen hojas en forma de agujas. Estas hojas se conservan durante todo el año, por lo que se conocen como perennes. En lugares con inviernos fríos, las hojas de los árboles de hoja caduca se ponen marrones y caen durante el otoño.

En las ramas de árboles como los robles crecen hojas lisas y anchas. Por eso se llaman árboles de hoja ancha.

¡ALERTA A LA TIERRA!

Los bosques tropicales están desapareciendo, pues la gente tala sus árboles para conseguir su madera. A menos que los cuidemos mejor, desaparecerán las peculiares plantas y animales que viven en ellos.

Bosques fabulosos

Cuando los árboles cubren zonas amplias forman bosques.
Los bosques tropicales crecen en una franja imaginaria que cruza la Tierra por la mitad: el ecuador. Allí viven más animales y plantas diferentes que en ningún otro lugar del mundo.

Los bonsais japoneses son árboles perfectos en miniatura. Los jardineros impiden que crezcan cortándoles las raíces y las ramas.

¡SOBRECARGA DE INFORMACIÓN!

E.T. ha recogido tantos datos fascinantes que debe enviarlos a su planeta para que sean analizados.

Las piceas son árboles de hoja perenne. Una sola picea puede llegar a tener hasta tres millones de agujas.

Las secoyas son los árboles más altos. Algunas alcanzan los 110 metros de alto; es decir, más que un edificio de 25 pisos.

Diariamente un roble adsorbe por sus raíces el agua que cabe en seis bañeras.

Plantas raras

Las plantas carnívoras y las raflesias olorosas son dos de las plantas más raras que E. T. ha visto en la Tierra. Si busca con detenimiento encontrará muchas más.

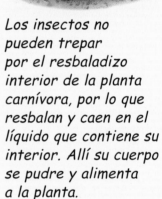

Los insectos no pueden trepar por el resbaladizo interior de la planta carnívora, por lo que resbalan y caen en el líquido que contiene su interior. Allí su cuerpo se pudre y alimenta a la planta.

Hierbas gigantes

El bambú es un tipo de hierba leñosa. Algunos tipos crecen a la asombrosa velocidad de 4 cm por hora hasta alcanzar 40 metros de altura. Otros sólo dan una flor cada ¡120 años!

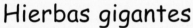

¡LLAMA A CASA PARA CONTARLO!

Las grandes hojas del nenúfar gigante pueden medir cerca de dos metros de lado a lado, lo mismo que una mesa de comedor. Los nenúfares crecen en el agua de uno de los ríos más largos del mundo, el Amazonas de Suramérica.

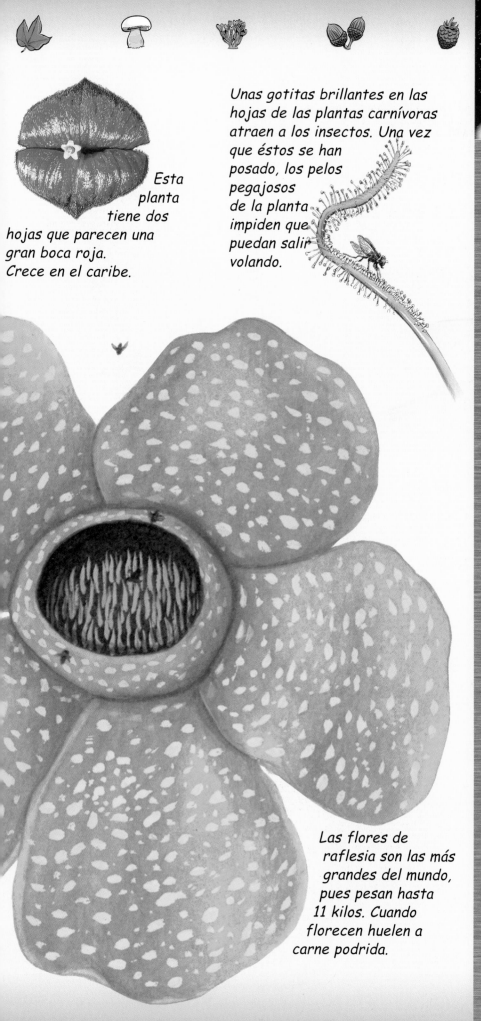

Esta planta tiene dos hojas que parecen una gran boca roja. Crece en el caribe.

Unas gotitas brillantes en las hojas de las plantas carnívoras atraen a los insectos. Una vez que éstos se han posado, los pelos pegajosos de la planta impiden que puedan salir volando.

Las flores de raflesia son las más grandes del mundo, pues pesan hasta 11 kilos. Cuando florecen huelen a carne podrida.

¡SOBRECARGA DE INFORMACIÓN!

E.T. ha recogido tantos datos fascinantes que debe enviarlos a su planeta para que sean analizados.

El saguaro de Norteamérica es el cactus más grande del mundo.

Las hojas de la venus atrapamoscas tienen una bisagra. Cuando un insecto se posa en la hoja, la bisagra se cierra y lo atrapa.

El baobab de Australia y África almacena agua en su tronco, que se hincha para darle cabida. Cuando el tiempo es seco el árbol utiliza esta agua y el tronco adelgaza.

Plantas del desierto

E. T. sabe que nunca debe pedirle agua a un cactus. Estas plantas con pinchos crecen en los desiertos, los lugares más secos del mundo. Sobreviven recogiendo agua del aire y de la tierra y se la guardan toda para ellos; nunca la comparten con los forasteros.

Un tallo de 12 metros soporta la flor de la planta centenaria. Sólo florece una vez, tras haber estado creciendo durante 10 o 15 años.

Las «piedras vivientes», conocidas también como plantas guijarro, ahorran agua y energía al crecer sólo en las estaciones más frías. El calor del verano ralentiza o detiene su crecimiento.

Los murciélagos ayudan a algunas plantas del desierto a diseminar su polen, pues recogen polen en su piel cuando se posan en las plantas para beber su néctar por la noche.

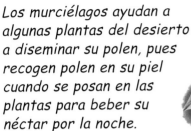

¡SOBRECARGA DE INFORMACIÓN!

E.T. ha recogido tantos datos fascinantes que debe enviarlos a su planeta para que sean analizados.

Un único cactus puede contener agua suficiente como para llenar 300 cubos.

No todos los cactus contienen agua potable. El agua de alguno de ellos, como el saguaro, es venenosa.

¡ALERTA A LA TIERRA!

Los viajeros a veces cortan cactus para beber su agua. Esto puede matar plantas de cien años de edad. De modo que, si visitas un desierto, no los cortes.

Si el suelo del desierto se humedece, las plantas que hay en él producen rápidamente más raíces para absorber el agua extra.

Almacenes de agua

Las plantas desérticas tienen una reserva de agua en sus grandes raíces, sus gruesos tallos o sus carnosas hojas. Algunas tienen incluso una capa de finos pelos que atrapan el aire. El aire impide que la planta se seque.

Un mundo lleno de algas

E. T. sabe que no todas las plantas crecen sobre la tierra. Las algas crecen en estanques, ríos y a orillas del mar.

El plancton flota sobre el mar. Esas plantas ayudan a que el agua esté limpia y sirven de alimento a las criaturas acuáticas.

Las algas marinas crecen por todas partes en el mar de los Sargazos, una zona del océano Atlántico. En la época de lo barcos de vela los marineros tenían miedo de quedar atrapados entre ellas.

La fuerza de las algas marinas

La mayoría de las algas marinas crecen en forma de bosques flotantes en aguas poco profundas. Sus fuertes tallos se aferran a las rocas. Sus hojas pueden ser el doble de grandes que un barco de regatas oceánico.

Un estanque en el jardín

Muchas plantas de estanque y de río flotan en la superficie del agua, formando capas enmarañadas y blandas. La lenteja de agua es la planta con flores más pequeña del mundo. Los nenúfares tienen hojas redondas y grandes.

La planta oceánica más pequeña se llama plancton. Una cucharilla de café de agua de mar contiene un millón de ellas. Las pequeñas criaturas marinas se alimentan de plancton. Éstas, a su vez, sirven de alimento para los peces pequeños, que son la comida de los grandes. Por tanto, la vida del océano depende del plancton.

¡LLAMA A CASA PARA CONTARLO!

Los astronautas están pensando en llevar plancton como comida en los largos viajes espaciales. Mientras crecen, las plantas absorberán los gases nocivos. ¡E. T. debería conseguir un poco de plancton para su viaje de regreso!

¡SOBRECARGA DE INFORMACIÓN!

E.T. ha recogido tantos datos fascinantes que debe enviarlos a su planeta para que sean analizados.

El plancton conserva limpio el aire de la Tierra. Si muriera todo el plancton, los gases venenosos matarían rápidamente a todas las personas y animales del mundo.

Las capas de algas que crecen en aguas marinas poco profundas protegen la costa de las olas que rompen contra ella.

Algunas pequeñas plantas de plancton son difíciles de distinguir de los animales. Nadan desplegando sus pequeñas colas y pueden comer partículas de alimento.

Fantásticos hongos

Hacen que el pan fermente. Crecen entre los dedos de tus pies. Son una comida deliciosa o un veneno mortal. Los hongos son todas esas cosas y más. Los champiñones que le gusta comer a E. T. son un tipo de hongo, al igual que las setas, la levadura y el moho.

¡ATENCIÓN!

Los hongos te pueden matar, incluso los que parecen inofensivos. De modo que nunca cojas setas tú solo.

Esta seta, la cicuta verde, se encuentra entre los hongos más venenosos.

El moho que crece en la comida es un tipo de hongo en forma de hebra. Miles de hongos creciendo juntos producen esas manchas esponjosas.

Matamoscas

Los fuertes venenos de la matamoscas hacen que la gente que la come tenga sueños y visiones horribles.

Hongos comestibles

Muchos hongos son un manjar delicioso. Puedes comprar champiñones como estos en montones de tiendas, porque son fáciles de cultivar. Los champiñones crecen en estiércol de caballo y en lugares húmedos, como bodegas o cuevas.

A los hongos les gustan los lugares cálidos y húmedos, como los espacios que hay entre los dedos de los pies. Si no te secas los pies, puedes acabar con hongos. Los médicos llaman a esta infección pie de atleta.

¡LLAMA A CASA PARA CONTARLO!

Un hongo gigante llamado pedo de lobo contiene siete millones de unas semillas llamadas esporas. Si cada semilla creciera y se convirtiera en un nuevo hongo, todos esos hongos ocuparían una superficie tres veces mayor que la de Gran Bretaña.

¡SOBRECARGA DE INFORMACIÓN!

E.T. ha recogido tantos datos fascinantes que debe enviarlos a su planeta para que sean analizados.

Hace cerca de 2.000 años, la esposa del emperador Claudio asesinó a su marido dándole un guiso de cicuta verde.

Los hongos conocidos como trufas negras son uno de los alimentos más caros del mundo. Los recolectores de trufas las recogen cavando con ayuda de cerdos adiestrados.

Los panaderos utilizan un hongo llamado levadura para fermentar el pan. Al crecer, la levadura forma burbujas. Esto produce agujeros en el pan y lo hace más ligero.

21

Defensas de las plantas

E. T. nunca trepa por las zarzas, pues sabe que las zarzas y las ortigas son las plantas más peleonas. Sus armas son los pinchos. Las plantas los utilizan para evitar que los animales se coman sus hojas.

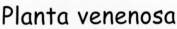

Planta venenosa

El algodoncillo contiene veneno, pero las orugas de la mariposa monarca pueden comerlo porque sus intestinos son capaces de resistirlo. Las hierbas hacen que las orugas tengan un sabor amargo.
Sus colores brillantes avisan a los pájaros para que no se los coman.

¡Puede que sientas una ortiga antes de verla! Puedes disminuir el dolor frotando contra la piel una hoja de acedera o sal de cocina.

Si tocas los pelos de una ortiga, éstos se rompen e inyectan en tu piel un producto químico que produce picor.

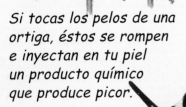

Problemas espinosos

Las moras son deliciosas, pero los pinchos de las zarzamoras se ensañan con los que las cogen. Las espinas y los pinchos no sólo defienden las hojas de las plantas, también facilitan que la planta se pueda agarrar a otra para que sus retoños trepen por ella y se diseminen.

Las espinas no protegen totalmente a las plantas. Las cabras tienen una boca lo suficientemente dura como para comerse las hojas.

¡SOBRECARGA DE INFORMACIÓN!

E.T. ha recogido tantos datos fascinantes que debe enviarlos a su planeta para que sean analizados.

Los pelos de las plantas que pican tienen la forma de las agujas que utilizan los médicos para inyectar medicinas.

Los habitantes de Java, en Indonesia, creían antes que el upa, un árbol venenoso, mataba a los pájaros que volaban sobre su copa.

En vez de utilizar alambre de espino para impedir que el ganado se salga de sus tierras, algunos granjeros griegos ponen arbustos con pinchos encima de sus muros.

23

Cultivando grandes plantas

E. T. encuentra difícil identificar las espinacas o reconocer los rábanos. En estado silvestre, esos alimentos a menudo son pequeños y se hace difícil encontrarlos.

El hombre los cultiva mucho más grandes y mejores en granjas, donde forman cosechas.

Para obtener buenos resultados, los granjeros deben preparar el terreno y regar las plantas con mucho cuidado.

En lugares montañosos, como en algunas partes de China, no hay suficiente tierra llana para cultivar comida, por eso los granjeros locales plantan sus cosechas en terrazas, que son escalones tallados en las colinas.

Máquinas agrícolas

Los granjeros utilizan muchas máquinas. Los tractores arrastran arados para levantar el suelo. Las sembradoras hacen agujeros para las semillas y luego las plantan. Las cosechadoras cortan el trigo y separan los granos, que nos comemos, de los tallos, que no nos sirven de alimento.

Una cosechadora

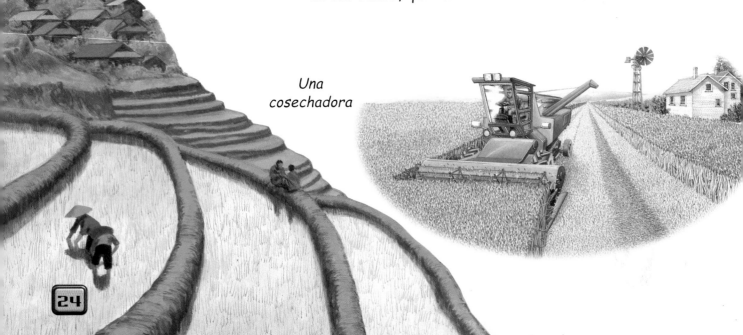

El Proyecto Edén

En el Proyecto Edén, en el suroeste de Gran Bretaña, se cultivan café, caucho y otras plantas de países cálidos en grandes cúpulas de plástico. Los cultivos de climas frescos, como el trigo y los girasoles, crecen fuera en este asombroso jardín moderno.

Las plagas, como los escarabajos y los caracoles, encuentran las cosechas tan deliciosas como nosotros.
Los granjeros normales fumigan las cosechas para acabar con ellas.
Los granjeros orgánicos dependen de los pájaros, los sapos y otros animales para hacerlo.

En el futuro, los astronautas cultivarán su propia comida en los largos vuelos espaciales.

¡SOBRECARGA DE INFORMACIÓN!

E.T. ha recogido tantos datos fascinantes que debe enviarlos a su planeta para que sean analizados.

Es posible que la gente comenzara a cultiva hace 11.000 años. Antes de ello se limitaban a recoger plantas silvestres para comer.

Cultivando sólo las fresas mejores y más grandes, los granjeros han hecho que sus cosechas sean cien veces mayores que las silvestres.

Casi todos nuestros alimentos vegetales proceden de sólo 30 tipos diferentes de cultivos.

Plantas para comer y curar

En el África oriental puedes andar por un bosque de chocolate y es posible que cerca de tu casa crezca un árbol de aspirinas. La mayor parte del alimento que comemos procede de las plantas. Lo mismo ocurre con las medicinas.

FARMACÉUTICO

Las plantas medicinales son populares porque son más naturales y suaves que las píldoras de los laboratorios. Comer dientes de león ayuda a facilitar el paso del agua por nuestro cuerpo.

Plantas que curan

Las personas siempre han utilizado las plantas para sentirse mejor. Esta dedalera es venenosa, pero en pequeñas cantidades la sustancia química que contiene en sus hojas hace que los corazones débiles latan más deprisa. Los sauces pueden curar los dolores de cabeza. Utilizamos su corteza para hacer aspirinas.

NO cojas dedaleras. Son muy peligrosas.

¡ALERTA A LA TIERRA!

Los bosques húmedos son una fuente de plantas medicinales. Si seguimos talándolos, podemos terminar con ellas.

Jugo de plantas

Obtenemos la mayor parte de nuestras bebidas de las plantas. La cerveza se hace con cebada. El lúpulo se usa para que sean amargas, la levadura para que tengan burbujas y las algas para que sean espumosas.

Árboles de chocolate

Las semillas de cacao con las que se hace el chocolate proceden de un árbol. Crecen en vainas. Los árboles del cacao abundan en lugares calientes y húmedos, como África occidental.

VAINAS DE CACAO

Sin las plantas como el trigo y las patatas no tardaríamos en morir de hambre. Los animales también comen plantas, de modo que sin esas cosechas tampoco tendríamos carne, leche, pescados o huevos.

¡SOBRECARGA DE INFORMACIÓN!

E.T. ha recogido tantos datos fascinantes que debe enviarlos a su planeta para que sean analizados.

Obtenemos dos bebidas muy populares —el té y el café— de unas plantas que eran desconocidas en Europa hace 400 años.

La sal es la única cosa que comemos que no tiene relación con las plantas. La gente la extrae del suelo o la consigue evaporando agua de mar.

Aproximadamente la mitad de las medicinas que utilizamos hoy día comenzaron siendo curas naturales a base de plantas.

Plantas útiles

E. T. no puede imaginarse un mundo sin madera, algodón o papel. Obtenemos todas esas cosas de las plantas. En todo el mundo aproximadamente 1.000 millones de personas queman árboles para mantener el calor y cocinar.

Casas de árboles

En algunos países la gente construye casas enteras de madera. Pero incluso en una casa de ladrillos, hay madera, por ejemplo, en la estructura que sostiene el techo y en los marcos de las ventanas.

Para hacer las páginas de los libros, las fábricas de papel machacan y cuecen la madera para convertirla en una pulpa. Cuando se extiende en un tamiz la pulpa forma hojas de papel.

¡ALERTA A LA TIERRA!

Quemar madera es mejor para el planeta que quemar carbón o petroleo, ya que podemos remplazar los árboles. Quemar cualquier tipo de combustible añade gases nocivos al aire, pero los árboles lo absorben.

28

Obtenemos un pegamento natural, llamado goma arábiga, de la savia de las acacias que crecen en Sudán, en África. Se utiliza para pegar los sobres e incluso para espesar el yogurt.

Ropas frescas

Las semillas de las plantas de algodón están sujetas mediante unas fibras blandas. Retorcer y entrelazar esas fibras permite obtener tela para hacer vaqueros y otras ropas.

La ropa de algodón se hace a partir de blandas semillas.

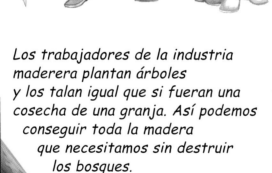

Los trabajadores de la industria maderera plantan árboles y los talan igual que si fueran una cosecha de una granja. Así podemos conseguir toda la madera que necesitamos sin destruir los bosques.

¡SOBRECARGA DE INFORMACIÓN!

E.T. ha recogido tantos datos fascinantes que debe enviarlos a su planeta para que sean analizados.

En los países más pobres del mundo los árboles y otras plantas proporcionan una tercera parte de todo el combustible que se usa.

Un europeo utiliza unas tres veces su propio peso en papel al año. Cada norteamericano utiliza cuatro veces y media su propio peso.

Las plantas son útiles para nosotros incluso cuando están creciendo. Por ejemplo, las raíces de los árboles sujetan el suelo y ayudan a prevenir los peligrosos desprendimientos de tierra.

DE VUELTA A CASA

E.T. ya sabe todo lo que necesitaba sobre el mundo de las plantas y ya está listo para volver a su casa. Ayúdalo a regresar a su nave espacial.

40 Desciendes hasta la casilla 39 en una hoja de sicómoro.

41

42 Las abejas polinizan tus plantas. Ve a la casilla 45.

43

39

38

37 Te detienes a plantar arroz. Pierdes un turno.

36 ¿Donde duermen los monos? En las "mono" cotiledóneas

Huele rafles desme Pierd

20 Construye un puente de madera hasta la casilla 23.

21

22

23

19

18 Los escarabajos se comen las hojas de tu jardín. Retrocedes 4 casillas.

17

16

Te p choc un tu

SALIDA

Esperas a que crezcan tus cosechas. Pierdes un turno.

1

2

3 Trepas a una secoya gigante. Ve hasta la casilla 16.

Tien atlet 2 ca

za el dado y muevete tantas casillas como indiquen.
uando hayas alcanzado el final, despega hacia casa.

45 Viajas en una espora de pedo de lobo hasta la casilla 46.	**46**	**47** Caes hasta la casilla 32 con las hojas del otoño.	¡DESPEGUE!

| **34** | **33** | **32** | **31** | **30** |

| **25** Ve hasta la casilla 29 en un nenúfar gigante. | **26** | **27** | **28** Te deslizas hasta la casilla 11 en un alga. | **29** |

| **14** | **13** | **12** ¿Qué es marrón y leñoso? La leña.. | **11** | **10** |

| **5** | **6** | **7** Te sientas encima de un cardo borriquero y pegas un salto que te lleva a la casilla 27. | **8** | **9** Trepas en una caña de bambú hasta la casilla 30. |

Índice